luxembourg

paysages du grand-duché

luxembourg
paysages du grand-duché

préface de pierre grégoire
ancien président de la chambre des députés

textes
joseph goedert
directeur de la bibliothèque nationale hon.

nicolas hein †
professeur

photographies
édouard kutter

éditions kutter — luxembourg

Préface

PUISQUE le photographe a fait un choix de ses oeuvres, un choix exclusif, il faut le relever, je n'ai qu'à dire, très sincèrement, ce que j'éprouve en présence d'un ensemble d'images, au sujet desquelles l'auteur — qui se tait — aime à connaître mon opinion d'écrivain.

Expliquer les photos, fussent-elles de médiocre qualité et sans relation avec les merveilleux paysages du Grand-Duché de Luxembourg, c'est chercher à définir les règles propres au procédé mécanique de la copie faite d'après nature; c'est fixer les distances qui le séparent de l'art normal, dès que nous avons bien établi qu'il échappe au domaine de la création, dans laquelle le tempérament de l'artiste entre pour une part prépondérante; et c'est, en fin de compte, se prononcer sur l'esthétique, sinon sur la métaphysique, d'un acte reproducteur spécial, dont le produit ne peut être qu'une beauté partielle, retenue sur un cliché banalement tangible et maniable, alors que l'image qui l'exprime n'est issue d'aucune imagination, ni ne porte le moindre souffle d'une inspiration quelconque.

Mais, écartant toute velléité à dogmatiser, me prononçant, très timidement et en marge seulement de cette publication, sur la catégorie de valeurs que la photographie fait éprouver, avec plus ou moins d'intensité, je me plais à mesurer le degré de séduction inhérente aux illustrations et à constater, en passant, que le «beau» qu'elles reflètent n'est ni le seul ni le tout, puisqu'au vérisme de l'actuel et du statique comme au réalisme du concret et du temporel nous ajoutons un don impalpable provenant de notre coeur qui admire et de notre âme qui chérit. Les relations créées entre les sites mécaniquement dépeints et nous-mêmes sont plus fortes que les rapports établis entre le photographe et les paysages. Car, dès que ceux-ci nous rappellent quelque chose, nous sommes prêts à nous métamorphoser, en les sublimant, à enrichir leurs reflets et à remplacer les vues qui alertent les agents de notre sensibilité, avant d'intéresser nos connaissances historiques, topographiques et humaines, par des idées de grandeur, de liberté, d'indépendance et d'héroïsme patriotique.

Le photographe, qui ne recherche ni le laid ni le déplaisant, nous donne l'illusion, par des oeuvres qu'il n'a pas composées et par l'unité de l'assortiment fait de ses photos, que l'essence de notre nationalité, le secret de notre communauté et les finesses de notre manière d'être peuvent s'exprimer librement par le truchement de son métier. C'est une très belle illusion. Pour éphémère qu'elle soit, je l'aime.

Pierre **GRÉGOIRE**

Notice sur le Grand-Duché

LE Grand-Duché de Luxembourg est un petit État plus que millénaire, situé au coeur de l'Europe, entre la France, la Belgique et la République Fédérale d'Allemagne.

Il compte environ 357.000 habitants sur une superficie de moins de 2.600 kilomètres carrés.

Le Luxembourg est une entité nationale qui a réussi à maintenir son particularisme à travers les vicissitudes des siècles et qui est aujourd'hui un État indépendant et souverain, placé sous le régime de la monarchie constitutionnelle. C'est un pays prospère et hautement industrialisé, avec une puissante industrie sidérurgique, un pays qui maintient des liens économiques et politiques étroits avec les autres nations, tant sur le plan européen qu'à l'échelle internationale.

Aperçu historique

L'histoire du Grand-Duché remonte à l'an 963, lorsque le comte ardennais Sigefroi, fondateur de la Maison de Luxembourg, fit construire un château sur le territoire de l'actuelle capitale. Ce château donna lieu à la création d'une ville et plus tard d'une forteresse célèbre.

La Maison de Luxembourg fut appelée à de hautes destinées, puisqu'elle donna à la fin du Moyen-Age quatre empereurs à l'Allemagne, quatre rois à la Bohême et un roi à la Hongrie. Les noms de Henri VII, Jean l'Aveugle, héro national, Wenceslas, Charles IV et Sigismond rappellent en effet cette grande époque qui prit fin dès le XVe siècle. C'est alors que commença pour le Luxembourg une longue période de dominations étrangères qui ne devait se terminer qu'au XIXe siècle.

En effet, la forteresse de Luxembourg, le «Gibraltar du Nord», devint l'enjeu incessant de luttes sanglantes que se livrèrent pour sa possession Bourguignons, Espagnols, Français, Autrichiens et Prussiens. Elle fut assiégée et ravagée plus de vingt fois au cours de quatre siècles.

En 1815 commença enfin pour le Luxembourg une période d'indépendance nationale. C'est en effet le Congrès de Vienne qui régla les destinées de ce pays en décidant que l'ancien Duché de Luxembourg, élevé au rang de Grand-Duché, serait donné à titre personnel au Roi des Pays-Bas. Le Grand-Duché vécut ainsi en union personnelle avec les Pays-Bas jusqu'en 1890. C'est cette période qui marqua le début d'une nouvelle époque d'affermissement de l'indépendance politique à l'extérieur et le développement du régime démocratique à l'intérieur du pays.

Une des dates les plus importantes de l'histoire nationale luxembourgeoise est celle du Traité de Londres du 11 mai 1867, qui confirmait l'intégrité territoriale et l'indépendance politique du Grand-Duché, garanties par le Traité de Londres de 1839, et qui déclara en outre le Luxembourg neutre à titre permanent, plaçant cette neutralité sous la garantie des grandes puissances.

A la mort du Roi Guillaume III en 1890, qui ne laissa pas de descendant mâle, la couronne du Grand-Duché passa à la branche aînée de la Maison de Nassau, et depuis cette date le Luxembourg a sa propre dynastie. Le Souverain actuel, le Grand-Duc Jean a succédé en 1964 à sa mère, la Grande-Duchesse Charlotte, qui abdiqua en sa faveur après un règne de 45 ans.

Au cours de ce règne prospère, l'évolution économique du Luxembourg alla de pair avec l'évolution politique, interrompue toutefois par la deuxième guerre mondiale où le Grand-Duché fut occupé malgré son statut de neutralité, tout comme en 1914, par les troupes allemandes, et connut de longues années d'oppression et de souffrances, avant d'être libéré par les troupes alliées.

Le Luxembourg abandonna en 1948 son statut de neutralité et adopta résolument une politique active de coopération sur le plan européen et international en adhérant aux diverses organisations économiques, politiques et militaires.

Depuis la fin de la seconde guerre mondiale, le Luxembourg connaît une période de calme politique et social, de bien-être économique à l'intérieur et de rayonnement à l'extérieur.

Les caractéristiques économiques du Luxembourg

Curieux destin pourtant que celui du Luxembourg, voué à l'industrie lourde, alors qu'il ne possède aucune mine de houille, aucun four à coke et où les gisements de minerai de fer sont assez pauvres. Cependant le Luxembourg possède une industrie sidérurgique puissante et moderne, qui constitue l'industrie de base de l'économie luxembourgeoise et qui exerce une influence fondamentale, tant à raison du volume de la main-d'oeuvre employée et du capital utilisé qu'à raison de l'impulsion qu'elle donne au développement économique du Grand-Duché.

La production d'acier, après avoir atteint en 1969 et 1970 les 5,5 millions de tonnes, a été en 1971 de 5,2 millions de tonnes, en 1972 de nouveau de 5,5 millions, en 1973 de 5,9 millions pour atteindre le chiffre record de 6,4 millions de tonnes en 1974, soit plus de 18 tonnes d'acier par tête d'habitant, alors que les chiffres correspondants ne sont que de 1,6 tonne pour la Belgique, 0,8 tonne pour la République Fédérale d'Allemagne, 0,5 tonne pour la France et 0,7 tonne pour les États-Unis. Le chiffre impressionnant de la production d'acier par tête d'habitant explique à son tour l'importance des exportations de produits sidérurgiques qui se traduit par plus de 130.000 francs par tête d'habitant, l'acier représentant environ 65% des exportations totales du pays.

Le Grand-Duché peut se flatter d'occuper la première place des échanges au sein du Marché Commun, puisque son commerce extérieur représente près de 80% de son produit national brut. Ceci fait que le Luxembourg, malgré ses dimensions géographiques et démographiques, représente par exemple pour la Belgique un client aussi important que la Suisse ou deux fois le Danemark, et pour la France un client dont les achats sont comparables à ceux de la Yougoslavie ou deux fois ceux de la Chine populaire.

Du fait que l'économie luxembourgeoise s'était rapidement transformée en une économie industrielle à partir de la fin du siècle dernier, le Luxembourg devait avoir largement recours à la main-d'oeuvre étrangère. Le nombre des étrangers atteint d'ores et déjà 23% de la population, proportion inégalée dans aucun pays de la Communauté Européenne. Le pourcentage d'ouvriers étrangers occupés dans la seule industrie sidérurgique luxembourgeoise atteint 33% et il atteint 50% dans l'ensemble de l'industrie luxembourgeoise. Dans l'artisanat ce pourcentage dépasse 60% et dans le bâtiment 85%. Il convient d'ajouter ici que sur une population active totale de plus de 150.000 personnes, 49% sont occupés dans l'industrie, 44% dans le commerce et les services, 7% dans l'agriculture. Ceci illustre la répartition des classes productives parmi les principales branches d'activités au Grand-Duché.

Si le Luxembourg a pu atteindre un niveau de vie particulièrement élevé, malgré un taux de croissance moyen, c'est notamment pour deux raisons: les termes de l'échange ont longtemps évolué favorablement (de 1913 à 1960); la part de la population active dans la population totale a été relativement élevée en raison d'une faible natalité et d'un important apport migratoire.

Le Produit National Brut par tête d'habitant est parmi les plus élevés de la CEE: en 1974 il a été de 226.000 francs lux. (4.600 EUR). L'Allemagne, la France et la Belgique ont des niveaux similaires. Ces chiffres ont évidemment un caractère estimatif. Mais d'autres indicateurs confirment la bonne position du Luxembourg. Ainsi il occupait au début de 1974 la première place dans la CEE en ce qui concerne le nombre relatif des voitures de tourisme (338 par 1.000 habitants contre 275 en R.F.A. et 279 en France), la 2e place pour les téléphones (361 par 1.000 habitants dès 1973) et les lits d'hôpitaux (1.150 par 100.000 habitants). La consommation par habitant d'énergie électrique à des fins non industrielles (1.720 kWh) n'est dépassée qu'en Allemagne (2.008 kWh), en Grande-Bretagne et au Danemark. Les statistiques relatives aux logements attestent également un niveau de vie élevé: c'est ainsi que tous ont l'eau courante à l'intérieur du logement et environ les deux tiers sont pourvus d'une salle de bain. Environ 60% des ménages sont propriétaires de leur logement.

Le Luxembourgeois consomme en moyenne annuelle environ 7,4 kg de beurre, 86 litres de lait, 58 kg de pain, 30 kg de viande de boeuf, 6 kg de veau, 46 kg de porc, 125 litres de bière et 50 litres de vin.

Relevons enfin que le niveau de vie n'est pas constitué exclusivement d'éléments chiffrables: la densité modérée de la population, l'absence d'une grande ville, la proximité de la forêt contribuent à relever la qualité de la vie au Luxembourg.

Du point de vue économique, la structure et la situation du Grand-Duché doivent le porter logiquement vers la collaboration avec d'autres États. C'est ainsi que depuis le recouvrement de son indépendance en 1839, la politique étrangère du

Luxembourg a été dominée par le double souci de la sécurité et de son intégration dans un ensemble économique plus vaste.

La nécessité de s'intégrer à des marchés plus grands a été reconnue dès le milieu du XIXe siècle, où le Luxembourg adhéra au «Zollverein» allemand en 1842. Le Luxembourg dénonça toutefois l'union économique avec l'Allemagne à l'issue de la première guerre mondiale et se tourna du côté de la Belgique avec laquelle il conclut en 1921 une Union économique, toujours en vigueur aujourd'hui. En 1943, au cours de l'exil à Londres, il contribua à l'édification d'une Union économique à trois, le BENELUX, et ensuite à celles des trois Communautés Européennes à savoir: la Communauté du Charbon et de l'Acier, la Communauté Économique et l'EURATOM.

Dans le cadre de la collaboration européenne, le Luxembourg fut placé devant maints problèmes, et des transformations essentielles eurent lieu dans le domaine économique et social.

L'industrie sidérurgique se modernise. L'agriculture subit une transformation profonde; des industries nouvelles s'implantent au Grand-Duché et de grands travaux d'infrastructure sont réalisés tant dans le secteur urbanistique que dans celui de la production de l'énergie, notamment la construction des barrages d'Esch-sur-Sûre et de Rosport, ainsi que la puissante centrale hydro-électrique de Vianden, la plus grande station de pompage de l'Europe.

Dans le domaine des communications, de nombreux grands travaux furent réalisés, en particulier l'agrandissement de l'aéroport de Luxembourg, l'électrification des chemins de fer et la canalisation de la Moselle, qui relie désormais le Luxembourg directement aux voies d'eau européennes. Parallèlement au programme d'investissements publics, le Gouvernement a poursuivi une politique de reconversion, de diversification et d'expansion économique.

Ce programme de diversification, qui a attiré vers le Luxembourg de nombreuses et importantes firmes étrangères, a comporté de nouveaux investissements d'une valeur de 16 milliards de francs réalisés de 1959 à 1973. Près de 10.500 emplois nouveaux ont ainsi pu être créés dans le pays. Les investissements des entreprises sidérurgiques sont passés de quelques 2,7 milliards de francs en

1971 à environ 2,5 milliards de francs en 1972, à 3,2 milliards de francs en 1973 et à 2,4 milliards de francs en 1974. Le montant a été de 1,8 milliard de francs en 1969 et de 2,8 milliards en 1970. Les dépenses d'investissement sont destinées par priorité, non pas à l'extension des capacités de production, mais à garantir un approvisionnement suffisant et continu en matières premières, à augmenter la rentabilité de l'appareil de production et à valoriser la gamme des produits.

La place financière internationale qu'est le Luxembourg compte fin 1974 plus de 4.200 sociétés holding qui y sont domiciliées et plus de 80 banques en 1975, ce qui représente la plus forte concentration bancaire au sein des Communautés Européennes.

L'adaptation du régime luxembourgeois, en matière de sociétés holding, aux sociétés d'investissement de type ouvert et fermé a permis pendant ces derniers temps l'implantation au Grand-Duché d'une centaine de *fonds d'investissement* dont les avoirs se sont établis fin 1973 à 2.5 milliards de dollars.

Au nombre des circonstances ayant favorisé le développement de la place financière de Luxembourg, on peut encore citer: le régime libéral de la Bourse de Luxembourg (tarif modéré des frais, taxes et commissions et simplicité des formalités), l'absence de retenue à la source en ce qui concerne les emprunts étrangers, enfin la création à Luxembourg, en 1970, de la Centrale de livraison des euro-obligations (CEDEL) dont l'objectif est de rationaliser les opérations d'achat et de vente des euro-obligations qui sont ramenées à des jeux d'écritures comptables sans transmission matérielle des titres.

Une initiative fort remarquée dans le monde financier international a été prise par la Bourse de Luxembourg par l'élaboration du projet «EUREX» qui devrait faciliter les transactions sur le marché des obligations internationales, grâce à la concentration des informations dans un système de marché automatisé permettant de rapprocher les contreparties.

Il a été constitué le 21 septembre 1973 un syndicat d'étude international comprenant 69 établissements financiers de 14 pays différents pour faire les recherches et prospections nécessaires en vue de la mise sur pied du système.

La Bourse de Luxembourg a connu son véritable essor au début des années soixante avec la cotation des premiers emprunts internationaux. Fin décembre 1973, la cote officielle comptait 630 emprunts émis en euro-devises et représentant une contre-valeur de 14.3 milliards de dollars. Grâce à ces euro-émissions, la place financière et boursière occupe aujourd'hui une place unique dans le concert des bourses internationales.

Il y a lieu de relever également la cotation des valeurs les plus représentatives du commerce et de l'industrie du Luxembourg ainsi que celle d'actions à circulation internationale et d'une vingtaine d'actions japonaises sous la forme de récépissés de dépôts au porteur. Les fonds d'investissement cotés sont au nombre de 90 à la fin de 1973. Les fonds établis à Luxembourg représentent un patrimoine de 102 milliards de francs.

En 1952 déjà, la Ville de Luxembourg reçut sur le plan européen une importance particulière lorsqu'elle fut choisie comme siège provisoire de la première Communauté Européenne supranationale, celle du Charbon et de l'Acier. Aujourd'hui, après la fusion des exécutifs des trois Communautés Européennes, Luxembourg reste une des capitales de l'Europe grâce au maintien et à l'implantation de services communautaires dans son enceinte. La capitale du Grand-Duché héberge en effet d'une part les institutions juridictionnelles et quasi juridictionnelles existantes ou à créer — la Cour de Justice des Communautés se trouvant déjà à Luxembourg — et d'autre part des institutions financières; c'est ainsi que le siège de la Banque Européenne d'Investissement a été transféré à Luxembourg en 1968 et que le Fonds Monétaire Européen a été installé à Luxembourg en 1973.

Quelle est la place et le rôle d'un pays comme le Luxembourg dans la communauté des peuples européens?

Par sa situation géographique, l'exiguïté de son territoire et les impératifs économiques et politiques qui s'en dégagent, le Luxembourg, qui est une expérience ethnique instituée par l'histoire sur le point d'intersection de deux grandes cultures, est un pays où toutes les influences se croisent. En effet, deux groupes ethniques et politiques s'y rapprochent et s'y mêlent: à l'Ouest le groupe roman auquel participe entièrement sa civilisation et plus ou moins sa race, à l'Est le groupe germanique auquel appartient sa langue.

Ce petit peuple n'est pas né des caprices d'un jeu diplomatique, ni d'un accident de l'histoire, mais il est un organisme politique vieux de plus de mille ans, toujours jeune et vivace, toujours prêt à s'adapter au rythme de la civilisation et à emboîter le pas derrière ses grands voisins.

La langue maternelle des Luxembourgeois est un vieux dialect franco-mosellan auquel s'est amalgamé un apport considérable d'éléments allemands et français.

Si le bilinguisme franco-allemand trouve son expression dans la presse, dans la vie politique, culturelle et religieuse, la langue française n'est pas moins langue officielle, langage d'administration, judiciaire, parlementaire, enseignant, littéraire et mondain, mais le dialect luxembourgeois constitue la langue véhiculaire de la totalité de la population.

Le peuple luxembourgeois est un peuple industrieux, dont le niveau de vie est particulièrement élevé, et qui ignore les conflits sociaux et les luttes philosophiques. C'est un pays de bon sens, de la tolérance et du progrès, un pays pacifique ouvert à tous les courants de l'esprit.

Les événements vécus par les dernières générations n'ont pu que renforcer la solidarité des Luxembourgeois, leur prise de conscience comme communauté nationale, leur profonde affection pour la dynastie.

Le rôle d'un pays comme le Luxembourg dans la communauté des peuples européens consiste d'abord à apporter une dimension, un ordre de grandeur, une optique particulière à la multiplicité des points de vue qui doivent se confronter dans une communauté de nations. Cette dimension, cette optique sont nécessairement proches de l'humain, du sens commun; elles se nourrissent du sentiment aigu de l'interdépendance entre les nations et les groupes. La voix du Luxembourg sera toujours dans les affaires qui nous touchent et sur lesquelles on nous sollicite, celle de la compréhension des différents points de vue, de la conciliation, de la défense du droit et des traités; sur le plan européen celle de la solidarité et de la coopération dans un esprit communautaire.

Kurzer Blick auf Luxemburg

DAS Großherzogtum Luxemburg ist ein kleiner, mehr als tausend Jahre alter Staat.

Es liegt zwischen Frankreich, Belgien und der Bundesrepublik Deutschland im industriellen Herzen Europas, zählt 357.000 Einwohner und hat eine Flächenausdehnung von rund 2.600 qkm.

Luxemburg ist eine nationale Einheit, die ihre Eigenständigkeit durch die Wechselfälle der Jahrhunderte hindurch bewahrt hat und heute als unabhängiges und souveränes Staatsgebilde dasteht. Seine Regierungsform ist die konstitutionelle Monarchie. Es ist ein wohlhabendes, hochindustrialisiertes Land, das sowohl auf europäischer als auch auf Weltebene enge wirtschaftliche und politische Beziehungen zu den andern Nationen unterhält.

Historischer Überblick

Die Geschichte des Großherzogtums reicht zurück bis zum Jahr 963, als der Ardennergraf Sigfrid, der Stammvater des Hauses Luxemburg, auf dem Gebiet der heutigen Hauptstadt ein Feudalschloß errichten ließ. Dieses Schloß wurde der Anlaß zur Gründung einer Stadt und später zum Bau einer berühmten Festung.

Das Haus Luxemburg war zu Hohem berufen. Aus ihm gingen gegen Ende des Mittelalters vier deutsche Kaiser, sowie vier böhmische und ein ungarischer König hervor. Namen wie Heinrich VII., Johann der Blinde, der Nationalheld, Wenzel, Karl IV. und Sigismund erinnern an diese große Epoche, die gegen Ende des 15. Jahrhunderts ihren Ausklang fand. Im Anschluß an sie begann für Luxemburg eine lange Zeit der Fremdherrschaft, die bis ins 19. Jahrhundert hinein dauerte.

Die Festung Luxemburg, das „Gibraltar des Nordens", wurde in der Tat zum Gegenstand blutiger Fehden zwischen Burgundern, Spaniern, Franzosen, Österreichern und Preußen, die sich unabläßig um ihren Besitz stritten. So wurde die Stadt, im Verlauf von vier Jahrhunderten, mehr als zwanzigmal belagert und verwüstet.

1815 endlich begann für Luxemburg eine Periode nationaler Unabhängigkeit. Der Wiener Kongreß nämlich, der über die Geschicke des Landes zu bestimmen hatte, sprach das zum Großherzogtum erhobene ehemalige Herzogtum dem König der Niederlande als dessen persönlichen Besitz zu.

Die Personalunion zwischen Luxemburg und den Niederlanden dauerte bis 1890. Während dieser Zeit festigte sich nach außen hin die politische Selbständigkeit des Landes und im Innern entwickelten sich die demokratischen Regierungsformen.

Zu den wichtigsten Daten der Luxemburger Nationalgeschichte gehört der Londoner Vertrag vom 11. Mai 1867. Er bestätigte die Integrität des Staatsgebietes und die durch den Londoner Vertrag von 1839 bereits garantierte politische Selbständigkeit des Großherzogtums. Außerdem erklärte er die immerwährende Neutralität des Landes und stellte diese unter den Kollektivschutz der Großmächte.

Nach dem Tode Wilhelms III., der keinen männlichen Nachkommen hinterließ, ging im Jahre 1890 die Krone des Großherzogtums auf den älteren Zweig des Hauses Nassau über. Seither hat Luxemburg eine eigene Dynastie. Der heutige Großherzog Jean trat 1964 die Nachfolge seiner Mutter an, der Großherzogin Charlotte, die nach 45jähriger Regierungszeit zu seinen Gunsten abdankte. Unter ihrer vom Wohlstand geprägten Herrschaft entwickelte sich Luxemburg weiterhin sowohl politisch als auch wirtschaftlich bis zum Zweiten Weltkrieg, da es, genau wie 1914, trotz seines Statuts der immerwährenden Neutralität, von den deutschen Truppen besetzt wurde und lange Jahre der Unterdrückung durchlitt, bevor es von den alliierten Truppen befreit wurde.

1948 gab es denn auch diese Neutralität auf und bekannte sich, indem es verschiedenen wirtschaftlichen, politischen und militärischen Organisationen beitrat, entschlossen zu einer aktiven Politik der Zusammenarbeit auf europäischer und internationaler Ebene.

Die Nachkriegszeit stand für Luxemburg im Zeichen des politischen und sozialen Friedens und eines inneren Wohlstandes, der über die Grenzen des Landes hinausreichte.

Die Wirtschaft in Luxemburg

Wie eigenartig doch dieses Geschick, das Luxemburg zur Großindustrie führte! Das Land hat weder Kohlenzechen noch Koksöfen. Auch seine Eisenerzlager sind nicht sehr ergiebig.

Und dennoch bildet eine mächtige und moderne Eisen- und Stahlindustrie die Grundlage der Luxemburger Wirtschaft. Sie ist von ausschlaggebendem Einfluß nicht nur auf Beschäftigungsvolumen und Kapitalanlage, sondern auch auf die Impulse, die sie der wirtschaftlichen Entwicklung des Großherzogtums vermittelt.

Die Stahlerzeugung betrug 1969 und 1970 5,5 Millionen Tonnen, 1971 rund 5,2 Millionen Tonnen, 1972 wiederum 5,5 Millionen, um 1974 die Rekordhöhe von 6,4 Millionen Tonnen zu erreichen, das sind mehr als 18 Tonnen pro Kopf der Bevölkerung. Die Vergleichsziffern sind für Belgien 1.600 kg, für die Bundesrepublik Deutschland 800 kg, für Frankreich 500 kg und für die Vereinigten Staaten 700 kg. Diese eindrucksvollen Zahlen erklären ihrerseits die hohen Ausfuhrquoten für Hüttenerzeugnisse. Hier entfallen an Einnahmen auf den Kopf der Bevölkerung jährlich mahr als 130.000 lFr. Der Stahl deckt hierbei etwa 65% der Gesamtausfuhren des Landes.

Das Großherzogtum Luxemburg kann sich rühmen, die erste Stelle im Handelsverkehr innerhalb des Gemeinsamen Marktes einzunehmen, da der Aussenhandel um die 80% seines Bruttonationalproduktes ausmacht. Dies bedeutet, daß Luxemburg, und dies trotz seiner geographischen und demographischen Ausdehnung, z. B. für Belgien einen ebenso wichtigen Kunden darstellt wie die Schweiz oder doppelt so wichtig ist wie Dänemark, und daß es für Frankreich einen Kunden bedeutet, dessen Kaufkraft mit der Japans oder zweimal derjenigen Argentiniens zu vergleichen ist.

Die seit Ende des vorigen Jahrhunderts rasch voranschreitende Industrialisierung seiner Wirtschaft zwang Luxemburg, sich weitgehend auf die Anwerbung fremder Arbeitskräfte zu verlegen. Die Zahl der im Lande ansässigen Ausländer übersteigt denn auch heute schon 23% der Bevölkerung, ein innerhalb der EWG einzig dastehendes Verhältnis. Allein in der Eisen- und Stahlindustrie sind 33% der Belegschaft Fremdarbeiter, während in der gesamten luxemburgischen Industrie die Fremdarbeiter 50% ausmachen. Im Handwerk übersteigt der Prozentsatz 60% und im Bauwesen 85%. Es sei hinzugefügt, daß von mehr als 150.000 im aktiven Arbeitsverhältnis stehenden Personen 49% in der Industrie, 44% in Handel, Gewerbe und öffentlichem Dienst, 7% in der Landwirtschaft

tätig sind. Diese Zahlen veranschaulichen die Verteilung der produktiven Bevölkerungsschichten auf die Hauptbeschäftigungszweige im Großherzogtum.

Wenn Luxemburg, trotz der mittelmäßigen Wachstumsrate seiner Wirtschaft, einen besonders hohen Lebensstandard erreichen konnte, so ist dies vor allem auf zwei Ursachen zurückzuführen: Die Indices der Außenhandelspreise entwickelten sich günstig von 1913 bis 1960. Der Anteil der erwerbstätigen Schichten der Gesamtbevölkerung war infolge der niedrigen Geburtsziffern und der bedeutenden Einwanderungsquote verhältnismässig hoch.

Das Bruttosozialprodukt pro Kopf der Bevölkerung gehört zu den höchsten innerhalb der EWG: 1974 betrug es 226.000 lFranken (4.600 EUR). Die Bundesrepublik Deutschland, Frankreich und Belgien bewegen sich auf etwa dem gleichen Niveau. Diese Zahlen haben natürlich nur Schätzungswert. Immerhin bestätigen aber auch andere Angaben den Wohlstand Luxemburgs. So lag es Anfang 1973 in der EWG relativ an erster Stelle für Personenkraftwagen (338 auf 1.000 Einwohner gegenüber 275 in der Bundesrepublik Deutschland und 279 in Frankreich), an zweiter Stelle für Fernsprechapparate (361 auf 1.000 Einwohner seit 1973) und Krankenhausbetten (1.150 auf 100.000 Einwohner).

Der pro Kopf-Verbrauch für nicht industrielle Zwecke an elektrischer Energie (1.720 kWh für 1974) ist lediglich größer in der Bundesrepublik Deutschland (2.008 kWh), in Großbritannien und in Dänemark. Auch die Wohnstatistiken zeugen von einem hohen Lebensstandard. So hat heute jede Wohnung elektrischen Strom, fast alle Wohnungen fließendes Wasser und etwa zwei Drittel ein Badezimmer. Ungefähr 60% der Haushalte sind Eigentümer ihrer Wohnung.

Der Luxemburger verbraucht im Jahresdurchschnitt rund 7,4 kg Butter, 86 l Milch, 58 kg Brot, 30 kg Rindfleisch, 6 kg Kalbfleisch, 46 kg Schweinefleisch, 125 l Bier und 50 l Wein.

Wirtschaftliche Struktur und Lage mußten das Großherzogtum logischerweise zur Zusammenarbeit mit anderen Staaten führen. Daher wurde, seit der Wiedergewinnung seiner Unabhängigkeit im Jahre 1839, die Außenpolitik des Landes von dem doppelten Anliegen seiner Sicherheit und seiner Integration in ein großräumiges Wirtschaftsgefüge bestimmt. Die Notwendigkeit seiner Eingliederung in eine Großmarktordnung war bereits gegen Mitte des vorigen Jahrhunderts erkannt worden, als Luxemburg dem Deutschen Zollverein beitrat. Nach dem Ersten Weltkrieg löste es jedoch seine ökonomischen Bindungen an Deutschland und ging 1921 mit Belgien eine Wirtschaftsunion ein, die noch heute Bestand hat. 1943, während des Exils in London, wurde es dann Mitbegründer der dreifachen Wirtschaftsunion Benelux und etliche Jahre später der Europäischen Gemeinschaft für Kohle und Stahl, der Europäischen Wirtschaftsgemeinschaft und der Europäischen Atomgemeinschaft.

Im Rahmen der europäischen Zusammenarbeit stellen sich für Luxemburg mancherlei Probleme und es kommt auf wirtschaftlichem und sozialem Gebiet zu wesentlichen Veränderungen. Die Eisen- und Stahlindustrie wird modernisiert, die Landwirtschaft erfährt eine tiefgreifende Umgestaltung. Neue Industrien werden eingepflanzt, auf den Sektoren des Städtebaus und der Energiegewinnung werden ausgedehnte Infrastrukturarbeiten durchgeführt. Staudämme erstehen in Esch/Sauer und in Rosport, Vianden erhält eine mächtige hydroelektrische Zentrale, das größte Pumpspeicherwerk Europas. Auch auf dem Gebiet des Verkehrswesens wurde bedeutendes geleistet. Genannt seien vor allem die Vergrößerung des Flughafens, die Elektrifizierung des Eisenbahnnetzes und die Kanalisierung der Mosel, die Luxemburg künftig mit den großen Wasserwegen Europas verbindet.

Parallel zu ihrem Programm der öffentlichen Investitionen verfolgt die Regierung eine Politik der wirtschaftlichen Umstellung, Streuung und Ausweitung.

Dieses Streuungsprogramm, das zahlreiche und bedeutende ausländische Firmen nach Luxemburg zog, bedingte neue Investitionen, die im Verlauf von 1959 bis 1972 sich auf insgesamt 16 Milliarden IFr. beliefen. Über 15.000 neue Arbeitsplätze konnten ebenfalls im Land geschaffen werden. Unterdessen war unabläßig an der Modernisierung der Eisen- und Stahlindustrie gearbeitet worden, und allein die Hüttengesellschaft ARBED verwirklichte ein Investitionsprogramm von 8 Milliarden IFr. in der Zeit von 1969-1973, während die Gesamtinvestitionen von 1969 bis 1972 sich bis jetzt auf fast 10 Milliarden Franken beliefen. 1974 und 1975 beliefen sich die Investitionen auf 2,4 und 3 Milliarden. Ende 1974 gab die ARBED dann ein weiteres Investitionsprogramm von 40 Milliarden IFranken bekannt. Die Investitionsausgaben dienen nicht so sehr der Vergrößerung der Produktionskapazität, sondern der gesicherten Rohstoffbeschaffung, der erhöhten Rentabilität des Produktionsapparates und der Verbesserung aller Produkte.

Die Stellung Luxemburgs in Europa

Eine immer wichtigere Rolle spielt Luxemburg als Mittelpunkt der internationalen Finanzwirtschaft. Zahlreiche Banken und bedeutende „Investment-Trusts" ließen sich im Lande nieder wegen der schon seit 1929 bestehenden und die Holding-Gesellschaften begünstigenden Spezialsteuergesetzgebung. Der internationale Finanzplatz Luxemburg zählt Ende 1974 mehr als 4.200 Holdinggesellschaften, die dort ihren Sitz haben und 1975 mehr als 80 Banken, was die stärkste Bankkonzentration innerhalb der Europäischen Gemeinschaft darstellt.

Vor kurzem erst hat sich Luxemburg in seiner Rolle als internationales Emissionszentrum behauptet. Die Anleihen in europäischen Rechnungseinheiten und in Devisen, an denen sich der Handelsplatz Luxemburg 1973 beteiligte, beliefen sich auf 3,6 Milliarden Dollar.

Die Anpassung der für die Holdinggesellschaften geltenden luxemburgischen Gesetzgebung an die offenen und geschlossenen Investmentgesellschaften hat in letzter Zeit die Niederlassung von etwa 100 Gemeinschaftsfonds ermöglicht, deren Guthaben Ende 1973 mehr als 2,5 Mrd Dollar erreichte.

Folgende weitere Umstände trugen zur Entwicklung Luxemburgs als Finanzplatz bei: Das liberale Regime an der Börse (mäßiger Tarif für Kosten, Gebühren, Kommissionen sowie einfache Formalitäten), das Fehlen einer Quellensteuer bei ausländischen Anleihen, und schließlich die 1970 errichtete Zentralstelle für Euro-Obligationen (CEDEL), die den An- und Verkauf dieser Obligationen durch einfache Umbuchung ohne materielle Titelübertragung rationalisieren soll.

Die Zukunft des Marktes von Euro-Obligationen wird in gewißem Maße von der Unterstützung abhängen, die die Bankiers, die diese bedeutende internationale langfristige Finanzquelle geschaffen haben, ihm geben, und von einem besseren Funktionieren des Sekundärmarktes. Zu diesem Zweck wurde eine in der internationalen Finanzwelt sehr beachtete Initiative der Börse von Luxemburg durch das Ausarbeiten des Projektes EUREX ergriffen, das Transaktionen auf dem internationalen Obligationsmarkt erleichtern dürfte, dank einer Konzentration von Informationen in einem automatisierten Marktsystem zur Zusammenführung der gegenseitigen Interessenten.

Am 21. September 1973 wurde hierzu ein internationales Studienkonsortium gegründet, das sich aus 69 Finanzinstituten aus 14 verschiedenen Ländern zusammensetzte, um Untersuchungen und die notwendigen Vorausberechnungen zum Ingangsetzen dieses Systems vorzunehmen.

Die Luxemburger Börse nahm ihren Aufschwung zu Beginn der 60er Jahre mit der Notierung der ersten internationalen Anleihen. Ende Dezember 1973 waren offiziell 630 Anleihen in Euro-Devisen und im Wert von 14,3 Mrd Dollar notiert. Durch diese Euro-Emissionen nimmt der Finanz- und Börsenplatz eine einzigartige Stellung ein.

Erwähnt sei auch die Notierung der für den Handel und die Industrie Luxemburgs repräsentativsten Werte sowie internationaler und etwa 20 japanischer Aktien. Ende 1973 waren 90 Investmentfonds notiert. Der Wert der gehandelten luxemburgischen Fonds beläuft sich auf 102 Milliarden lFranken.

Zu europäischer Geltung kam die Stadt schon 1952, als sie zum provisorischen Sitz der ersten überstaatlichen Gemeinschaft in Europa, jener für Kohle und Stahl, erwählt wurde. Heute, nach dem Zusammenschluß der drei Exekutiven, verbleibt sie als Sitz ursprünglicher sowie neuerrichteter Dienststellen der Gemeinschaft weiterhin eine der Hauptstädte Europas. Sie wird in der Tat einen Teil der schon bestehenden rechtlichen — der Gerichtshof der Gemeinschaften ist schon in Luxemburg — oder quasirechtlichen sowie auch der finanziellen Einrichtungen beherbergen. So ist denn auch bereits der Sitz der Europäischen Investitionsbank 1968 nach der Hauptstadt des Großherzogtums verlegt worden, wo sich auch das Sekretariat

des Europa-Parlaments befindet. 1973 wurde ebenfalls der Europäische Währungsfonds in Luxemburg installiert.

Welche Stellung nimmt ein Land wie Luxemburg innerhalb der Gemeinschaft der europäischen Völker ein und welche Rolle hat es hier zu spielen? Durch seine geographische Lage, die enge Umgrenzung seines Gebietes und die sich hieraus ergebenden Imperative wird Luxemburg als ein von der Geschichte auf dem Schnittpunkt zweier grosser Kulturen unternommenes völkisches Experiment, zum Durchgangsland und Schneidepunkt, wo sich die Vielfalt der Einflüsse überkreuzen. In der Tat leben hier zwei ethnische und politische Gruppen Seite an Seite und gehen ineinander auf: Im Westen die romanische Gruppe als Träger der Zivilisation und zum Teil auch Rasse, im Osten die germanische Gruppe, der Luxemburg sprachlich zugehört.

Dieses kleine Volk verdankt seine Geburt weder den Launen einer diplomatischen Spielerei noch einem Unfall der Geschichte, sondern es ist ein mehr als tausend Jahre alter politischer Organismus, immer lebenskräftig und jung, immer bereit, sich dem Rhythmus der Zivilisation anzupassen und seinen großen Nachbarn auf dem Fuß zu folgen.

Die Muttersprache der Luxemburger, eine einheimische Mundart, ist ein alter moselfränkischer Dialekt, der weitgehend mit französischen und deutschen Sprachteilen durchsetzt ist.

Wenn das französisch-deutsche Zweisprachensystem auch seinen Niederschlag in der Presse sowie im politischen, kulturellen und religiösen Leben findet, so ist Französisch dennoch die gebrauchsübliche Sprache in Verwaltung, Justiz, Parlament, Gesellschaft, sowie teilweise auch im Schulwesen und in den literarischen Bestrebungen: die luxemburgische Mundart hingegen ist sprachliches Ausdrucksmittel der Bevölkerung in ihrer Gesamtheit.

Die Luxemburger sind ein fleißiges Volk, mit außergewöhnlich hohem Lebensstandard und ohne soziale und weltanschauliche Konflikte. Ihr Land ist eine friedliche Heimstätte der Vernunft, der Toleranz und des Fortschritts, die allen geistigen Strömungen offensteht.

Die Vorgänge, zu deren Zeugen die letzten Generationen aufgerufen waren, vermochten die Luxemburger in ihrem Gefühl der Zusammengehörigkeit, ihrem nationalen Gemeinschaftsbewußtsein und in ihrer tiefwurzelnden Anhänglichkeit an die Dynastie nur zu bestärken.

Die Rolle, die einem Land wie Luxemburg in Europa zufällt, besteht vor allem darin, in die Vielfalt der gegensätzlichen Standpunkte innerhalb einer Gemeinschaft von Nationen eine Dimension, eine Größenordnung, eine besondere Sicht zu bringen. Diese Dimension und diese Sicht stehen notgedrungen in enger Beziehung zum Menschlichen und zur Vernunft, denn sie sind getragen vom akuten Gefühl der gegenseitigen Abhängigkeit unter Nationen und Gruppen. In den Angelegenheiten die uns angehen und über die man uns befragt, wird Luxemburg immer dem Verständnis für die verschiedenen Standpunkte, der Versöhnung, der Verteidigung des Rechtes und der Verträge seine Stimme leihen; auf europäischer Ebene wird es der Solidarität und der Zusammenarbeit im Sinne der Gemeinschaft das Wort reden.

Facts about Luxembourg

THE Grand Duchy of Luxembourg is a small state, yet it is older than a thousand years. It is situated in the industrial heart of Europe between Belgium, France and the Federal Republic of Germany. Its 357.000 inhabitants are living on an area of about 2.600 square kilometres.

Luxembourg forms a national unity which has succeeded in preserving its particular characteristics through the vicissitudes of its eventful history. Today it is a sovereign and independant constitutional monarchy. Luxembourg is a properous and highly industrialized country with a powerful and thriving iron-industry, a country having close economic and political connections with the other nations in Europe as well as overseas.

A short historical survey

The history of Luxembourg goes back to the year 963 when Siegfried count of the Ardennes and founder of the Luxembourg dynasty, had a castle built on the territory of the present-day capital of Luxembourg. This castle was at the origin of the establishment of a town, which later on was extended into a formidable fortress.

The Luxembourg dynasty was destined for a glorious future, for at the end of the Middle Ages it gave four emperors to Germany, four kings to Bohemia and one king to Hungary. The names of Henry VII, John the Blind, a Luxembourg National hero, Wenceslas, Charles IV and Sigismund recall this great period of Luxembourg's history ending in the 15th century. Then a long time of foreign domination, which was going to end only in the 19th century, descended on the little country.

The fortress of Luxembourg, the Gibraltar of the North, became the stake of ceaseless bloody battles, which the Burgundians, the Spaniards, the French, the Austrians and Prussians fought to conquer it. The fortress was besieged and devastated more than twenty times in four centuries. In 1815 a period of national independence began at last for Luxembourg. The Congress of Vienna settled the destiny of the country by raising the former Duchy of Luxembourg to the rank of a Grand Duchy and by giving it as a personal property to the Dutch King. The personal union between Luxembourg an the Netherlands lasted till 1890. During this period the political independence and

autonomy were strenthened and the democratic institutions were developed. The 11th May 1867 is one of the most important dates in the national history of Luxembourg. The Treaty of London reaffirmed its territorial integrity and the political autonomy which had already been guaranteed by the Treaty of London of 1839. Furthermore Luxembourg was declared permanently neutral and the great powers accepted to guarantee and protect the Grand Duchy's neutrality.

In 1890, after the death of King William III, who left no male descendant, the crown of the Grand Duchy passed to the elder branch of the House of Nassau. Since that date Luxembourg has had its own dynasty. In 1964 the present Grand Duke John succeeded his mother, Grand Duchess Charlotte, who, after having reigned for 45 years, abdicated in favour of her son.

During her prosperous reign, the economic progress of Luxembourg kept pace with its political development. The Second World War brutally interrupted the peaceful development. In spite of its neutrality Luxembourg was occupied, as it had been in 1914, by German troops. The little country lived long years of oppression and suffering till it was liberated by the allied forces.

In 1948 Luxembourg gave up its neutrality and by joining the different economic, political and military organizations the Grand Duchy resolutely supported a policy of fertile cooperation on the European as well as on the international plane. In the post-war period Luxembourg has known political and social peace and economic prosperity and progress.

The economic characteristics of Luxembourg

Luxembourg, oddly enough, has developed its heavy industry, though it has neither coal-mines nor coke-owens. Its mineral deposits are not very abundant and don't yield any high-grade ores. Yet Luxembourg has a powerful modern iron industry which constitutes the basic industry of the Grand Duchy's economy. It has a decisive influence on the small country not only because of the number of people it employs and the large capitals it uses but also because it is a vital stimulus to the economic development of the Grand Duchy.

The annual steel production, after having reached in 1969 and 1970 about 5,5 million tons, has been in 1971 of 5,2 million tons, in 1972 again 5,5 million tons, and in 1974 the record number of 6,4 million tons, i. e. about 18 tons of steel per inhabitant. The corresponding figures for its neighbours are: 1,6 tons per inhabitant in Belgium, 0,8 ton in Germany, 0,5 ton in France and 0,7 ton in the United States. These impressive figures explain the importance of its export trade of steel products. The steel exports constitue 65 per cent of the value of the Luxembourg export trade and they amount to a source of income of more than 130,000 francs per inhabitant.

The Grand Duchy occupies the first trade-place in the Common Market, as its foreign trade represents more or less 80% of its national gross proceeds. This means, that Luxembourg, in spite of its geographical and demographical size, is for instance for Belgium as an important trade partner as Switzerland or represents twice the importance of Danemark and for France a client whose buying is comparable with that of Japan or twice that of Argentine.

Since the end of the last century Luxembourg's rapidly changing economy had developed into an industrial economy. This forced the country to extensively recruit foreign workers. The number of the foreign residents in Luxembourg now already exceeds 23 per cent of the population; this is the highest proportion of foreigners of any EEC country. The percentage of foreign workers reaches 33 per cent in the iron industry, while it amounts to 50 per cent in the whole Luxembourg industry. In handicraft the percentage is more than 60 per cent and in the building industry 85 per cent. It must be added that out of a total number of 150,000 active persons 49 per cent are working in the industry, 44 per cent are employed in civil service or commerce and 7 per cent are farmers. These percentage illustrate how the productive classes are employed in the main branches of activity.

If Luxembourg could achieve a particularly high standard of living despite a rather moderate growth rate, this is chiefly due to two reasons: The terms of exchange developed favourably from 1913 to 1960; compared with the total population, the labour force has been relatively important, owing to the low birth rate and the important rate of immigration.

The gross national product per capita is one of the highest of the Common Market: in 1974 it amounts to 226,000 lfr. (4,600 EUR). Germany, France and Belgium have similar standards of living. These figures evidently have only an estimation-value. But other indications confirm the prosperity of Luxembourg. At the beginning of 1974 it occupied the first place in the Common Market, concerning the relative number of motor cars (338 per 1,000 inhabitants), the second place for telephones (361 per 1,000 inhabitants) and hospital beds (1,150 per 100,000 inhabitants) in 1973. The per capita consumption of electric energy for non-industrial purposes (1,720 kWh) was surpassed by that of Germany (2,008 kWh).

The lodging statistics, too, attest a high standard of living; 100% of the lodgings are supplied with electricity, nearly 100% have running water inside the lodging, and about 70% are provided with a bath-room. Some 60% of the house-holders are owners of their lodging.

The Luxembourger yearly consumes an average of 7.4 kg of butter, 86 l milk, 58 kg bread, 30 kg beef, 6 kg veal, 46 kg porc, 125 l beer and 50 l wine.

Its economic structure and its geographical position have necessarily led Luxembourg into a close cooperation with other countries. Thus since Luxembourg won back its independance in 1839 its foreign policy has been dominated on one hand by the desire to defend its own security and on the other by the aspiration to secure its integration into a larger economic system.

Already in the middle of the 19th century, Luxembourg felt the necessity to get integrated into larger markets and it joined the German «Zollverein» in 1842. At the end of the First World War, however, Luxembourg withdrew from this economic union with Germany and turned towards Belgium, with which it formed a close economic union in 1921. This union still exists today. In 1943, during the exile in London, Luxembourg contributed to the creation of the BENELUX, an economic union of Belgium, the Netherlands and Luxembourg. The Grand Duchy is a founding member of the three European communities: The European Coal and Steel Community, the EEC (European Economic Community) and the EURATOM (European Atomic Energy Community).

The European collaboration set many a problem to little Luxembourg. Essential economic and social changes were the result.

The iron and steel industry was modernized. Agriculture had to undergo profound changes. New industries were introduced in the country. Great efforts were made to extend and improve the economic infrastructure of our towns and to increase the production of electric energy. Dams have been built in Esch-Sûre and Rosport and the powerful hydroelectric plant in Vianden with its vast storage reservoir is the largest pumping station in Europe.

Great efforts have been made to facilitate international traffic and communications. The airport of Luxembourg was enlarged, the railway net was electrified, the Moselle river was canalized and now links the Grand Duchy directly to the large European waterways.

In addition to its programme of public investments, the government follows a policy of economic readjustment, diversification and expansion.

This programme trying to bring diversity into the fomerly monolithic industry has attracted numerous and important foreign firms to Luxembourg. Their new investments totalling 16 milliard francs from 1959 to 1972 have created more than 10.500 new jobs.

Unremitting efforts to modernize the iron industry were made during this period and in 1969 the ARBED, Luxembourg's great steel company, started a new investment programme to invest 8 milliard francs till 1973. The global investments of the Luxembourg steel industry have attained about 10 milliard francs from 1969 to 1972. In 1974 and 1975, an investment of 2.6 and 3 milliard francs was made by the ARBED, which has announced end of 1974 a new global investment programme of another 40 milliard francs. These investments are destined to extend the mining reserves, to increase the independence of supplies and to provide better economic operating conditions.

The position of Luxembourg in Europe

Luxembourg plays an increasingly prominent part as an international financial centre. Numerous banks and important investment trusts have settled in the Grand Duchy as the fiscal legislation, which dates back to 1929 already, favours holding companies.

Luxembourg as an international centre numbers more than 4,200 domiciliary holding companies in 1974 and more than 80 banks which represents the greatest banking concentration in the European Communities.

More recently still Luxembourg has affirmed its importance as a centre of international issues of loans. The loans in European Units of Account and in foreign currencies, to which Luxembourg has participated in 1973, amount to 3.6 milliard dollars.

The adaptation of Luxembourg fiscal legislation on holding companies to cover open- and closed-type investment companies has recently encouraged the establishment in the Grand Duchy of about a hundred Investment Funds with assets totalling 2.5 milliard dollars at the end of 1973. Among the factors which have helped Luxembourg to prosper as a financial centre, we would list the following:

the liberal methods of Luxembourg's stock exchange (moderate scale of charges, rates and commissions, few formalities);

no deductions at source for foreign loans;

the setting up in 1970 of the "CEDEL" (Euro-bonds office) to rationalize purchase- and sales transactions in Euro-bonds, which are reduced to bookkeeping entries without effective transmission of securities.

The future of the Euro-bond market will depend to some extent on the support it gets from the Bankers who have created this important source of long-term international financing, and also on the improved functioning of a secondary market.

With this end in view the Luxembourg stock exchange has taken an initiative which has aroused great interest in international financial circles. This is the "EUREX" scheme intended to facilitate transactions on the international bond market by concentrating the relevant data within a system of automatized transaction, so that the parties can be brought together. On the 21st September 1973 an international study group was set up, involving 69 financial entities from 14 different countries, in order to carry out all the research and inquiries necessary for the launching of this scheme.

Luxembourg's stock exchange, a private joint-stock company, got its first big lift with the quotation of the first international loans during the nineteen sixties.

At the end of December 1973, 630 loans were officially quoted in Euro-currencies, representing a value of 14.3 milliard dollars. Thanks to these Euro-issues, Luxembourg enjoys a unique position in the international money market. We must also draw attention to the quotation of the most representative commercial and industrial securities in Luxembourg as well as that of shares in international circulation, and of some twenty Japanese stocks in the form of bearers' deposit receipts. By the end of 1973 the number of Investment Funds quoted was 90. The Funds established in Luxembourg represent a stock of 102 milliard francs.

In 1952 the City of Luxembourg was chosen as provisional seat of the first supra-national community, the European Coal and Steel Community. Today, after the executives of the three European communities have merged, Luxembourg remains one of the capitals of Europe. As a matter of fact, all the sessions of the Council of Ministers of the European Communities take place during three months in the year in Luxembourg which is also the seat of the Secretariat of the European Parliament that holds here a certain number of sessions every year. The Court of Justice of the European Communities has also its seat in Luxembourg as well as the European Bank of Investment and the European Monetary Fund. Many other services of the communities are established in addition in the City of Luxembourg.

What is the position of a small country like Luxembourg within the community of the European nations and what part can it play?

By its geographical situation, its small territory and the economic and political necessities resulting from its exiguity, Luxembourg is a transit country, a crossroad of manifold influences. It is an ethnic experiment performed by history at the intersection of two great cultures. Two ethnic and political groups live together and merge there: in the west the Romance group with which its civilization and partly also its race connect Luxembourg and in the east the Germanic group to which the country belongs linguistically. This little people does not owe its existence to the whims of a diplomatic game or an accident of history. It is a political organism which is older than thousand years, always young and full of vitality, always ready to adapt itself to the rythm of civilization and to fall into step with its great neighbours.

The mother tongue of the Luxembourgers is an old Mosellan Frankish dialect, blended with a considerable amount of German and French elements.

If both the German and French languages are used in the press, in political, cultural and religious life, French is nevertheless the official language of the Luxembourg administration, jurisdiction, of its Parliament, its education system and of some of its literary circles. The Luxembourg dialect, however, in everyday life is the language used by the whole population.

The inhabitants of Luxembourg are an active and diligent people whose standard of living is particularly high. Commonsense, tolerance and progress open the peaceful country, which ignores serious social and ideological conflicts, to all intellectual streams.

The events lived by the older generations during the two World Wars have only contributed to strengthen the solidarity of the people and their affection for the Luxembourg dynasty. They have become still more conscious that they form a national community. The part a country like Luxembourg can play in the community of the European nations consists first in bringing a dimension, an order of magnitude and new particular prospect into the variety of the conflicting points of view. This dimension and this new prospect are necessarily conditioned by human values and commonsense. They are based on the deep conviction that nations and groups depend on one another. When Luxembourg is consulted about problems concerning the country it will always try to promote a fair understanding and conciliation of the different points of view and to defend the rights and treaties. In European affairs Luxembourg will further solidarity and cooperation in the spirit of the community.

Le pont Adolphe relie la ville haute au plateau Bourbon; au fond, les tours de la cathédrale
Adolph-Brücke, Bindeglied zwischen Oberstadt und Plateau Bourbon
The Adolphe Bridge, a link between the Old Town and new quarters. In the background, the
spires of the Cathedral

Le pont Adolphe
Adolph-Brücke
The Adolphe Bridge

Le siège social de Radio-Télé-Luxembourg dans l'ancienne Villa Louvigny
Das Funkhaus des Senders Luxemburg, die ehemalige Villa Louvigny
Radio-Télé-Luxembourg

La fontaine devant l'hôtel de ville
Der Springbrunnen vor dem Stadthaus
The fountain in front of the Town Hall

La statue équestre de Guillaume II d'Orange-Nassau
Das Reiterstandbild Wilhelms II. von Oranien-Nassau
The equestrian statue of William II of Orange-Nassau

Le nouveau théâtre
Das neue Stadttheater
The new theatre

Le foyer du nouveau théâtre
Das Foyer im neuen Theater
The foyer of the new theatre

Le «défilé des moutons» inaugure la grande foire
,,Hämmelsmarsch'' auf Kirmessonntag (Schobermesse)
The annual fair begins with a sheep procession

La maison de Cassal date du 16e siècle
Die ,,Maison de Cassal'' stammt aus dem 16. Jahrhundert
The ''Maison de Cassal'' dates from the 16th century

Dans la crypte de la cathédrale, la tombe de Jean l'Aveugle, roi de Bohême et comte de Luxembourg. Jusqu'en 1794 le sarcophage se trouva au monastère de Neumunster (Grund)

Grabmal Johanns des Blinden, Königs von Böhmen und Grafen von Luxemburg, in der Krypta der Kathedrale. Der Sarkophag stand bis 1794 in der Neumünsterkirche (Grund)

Sepulchre of John the Blind, King of Bohemia and Count of Luxembourg, in the crypt of the Cathedral. Before 1794 the sarcophagus had been in Newminster Church at Grund, a suburb of the town

La cathédrale
Inneres der Kathedrale
The interior of the Cathedral

Le puits de Saint Népomucène dans la rue de l'Eau
Der Nepomukbrunnen in der Wassergasse
The well of St. Nepomucene in the centre of the town

Vieille maison partricienne sur le «Rost»
Altes, vielstöckiges Patrizierhaus „auf dem Rost"
Old patrician house, in the centre of the town

Le faubourg de Pfaffenthal
Die Vorstadt Pfaffenthal
Pfaffenthal

Les «Trois Tours» et les tourelles espagnoles, vestiges de l'ancienne forteresse
Die „Drei Türme" und „spanische Türmchen"
The massive "Three Towers" and the gracious Spanish Turrets are remains of the fortress

Le pont Grande-Duchesse Charlotte élargit la ville vers le Kirchberg
Die neue Großherzogin Charlotte-Brücke erschließt nun auch das ostwärts gelegene Kirchberg-Plateau
The Grand Duchess Charlotte bridge extends the town eastward to the Kirchberg Plateau

Le monument Robert Schuman
Das Robert-Schuman-Denkmal
The Robert Schuman Memorial

Palais de Justice des Communautés européennes   Salle des pas perdus
Gerichtshof der Europäischen Gemeinschaften   Wandelhalle des Justizpalastes
The Court of Justice of the European Communities   The hall of the Court of Justice

Salle de réunion et foyer au Centre européen
Großer Sitzungssaal und Foyer im Europa-Haus
Assembly hall and foyer at the European Centre

Le Centre européen au plateau du Kirchberg
Das Europa-Haus auf Kirchberg
The European Centre on the Kirchberg Plateau

Une tourelle espagnole, vestige pittoresque et gracieux de l'art avec lequel les Espagnols fortifiaient leurs villes

Die spanischen Türmchen sind ein besonderes Merkmal einstiger spanischer Befestigungstechnik

A Spanish Turret, reminding us of the Spanish domination

Illuminations des remparts
Alte Festungsmauern im Lichterspiel
Flood-lighting of old fortress walls

L'Alzette traverse les trois faubourgs de Grund, Clausen et Pfaffenthal. A gauche le rocher du «Bock»
Die Alzette durchfließt die Vorstädte Grund, Clausen und Pfaffenthal
The Alzette flows through the suburbs of Grund, Clausen and Pfaffenthal. To the left, part of the ''Bock''

La porte inférieure de la rue Large et le chemin de la Corniche
Die untere Breitenweg-Pforte mit der „Corniche"
The lower gate of "Brédewé" (Broadway) and the way of the "Corniche"

Panorama de la ville haute
Oberstadt
The Old Town

Le fort Thungen, dit les «Trois Glands»
Ehemaliges Fort Thüngen, genannt „Drei Eicheln"
The "Three Acorns", a former fort

Le Marché-aux-Poissons et l'église Saint-Michel
Fischmarkt und St.-Michaelskirche
The Fish-Market with St. Michael's Church

Le faubourg de Grund
Vorstadt Grund
The suburb of Grund

Maisons nobles et patriciennes sur les remparts de jadis
Adels- und Patrizierhäuser auf den alten Wällen
Houses of noblemen and patricians on the former remparts

Vue sur la vieille ville
Blick auf die Altstadt
A view of the old part of the town

À travers l'ouverture de la tour Jacob, on aperçoit des vestiges de la troisième enceinte
Durch den Bogen des Jakobsturms sieht man einen alten Halbturm der dritten Ringmauer
Through the arch of "Jacob's Tower" one sees remains of the third walls

Descente vers les faubourgs
Abstieg zu den Unterstädten
On the way down to the suburbs

La vallée de l'Alzette
Alzettetal
The Alzette valley

La «dent creuse» à l'emplacement du château des comtes
Der sogenannte „Hohle Zahn", zurechtgestutzter Überrest
des alten Grafenschlosses
The "Hollow Tooth", a relic of the ancient Castle of the Counts

Le Palais grand-ducal (depuis 1895), ancien hôtel de ville, édifice inspiré par la renaissance espagnole du seizième siècle.

Das alte Rathaus der Stadt, 1572 im spanisch-niederländischen Renaissancestil erbaut. Seit 1895 Stadtresidenz der großherzoglichen Familie

The Grand-Ducal Palace (since 1895), former Town Hall, built in the Spanish-Netherlands Renaissance style in 1572

La Grande Salle au Palais grand-ducal

Der Festsaal im Großherzoglichen Palais

The "Grande Salle" in the Grand-Ducal Palace

Cimetières militaires, américain à Hamm (à droite), allemand près de Sandweiler
Militärfriedhöfe bei Hamm und Sandweiler
War cemeteries, the American at Hamm (right), and the German near Sandweiler

Le château d'Ansembourg, construit dans la vallée de l'Eisch en 1681
Renaissanceschloß Ansemburg im Eischtal. Erbaut 1681
Ansembourg Castle (1681)

Septfontaines
Simmern

Larochette
Fels

La cascade du «Schiessentümpel» non loin d'Echternach
Der „Schiessentümpel" im Müllerthal, unweit Echternach
The "Schiessentümpel" waterfall, not far from Echternach

Le Luxembourg abonde en fermes bien dirigées et soigneusement entretenues
Luxemburg ist reich an gut geführten und gepflegten Bauernhöfen
Luxembourg abounds in well tended farms

Le château médiéval de Hollenfels, aménagé aujourd'hui en auberge de jeunesse
Schloß Hollenfels; in der Burg ist heute eine Jugendherberge untergebracht
The medieval Castle of Hollenfels has been transformed into a youth hostel

Les ruines massives du château de Bourscheid
Die Ruinen von Burscheid
The massive ruins of Bourscheid Castle

La chapelle de l'ermitage de Girst près de Rosport
Die Wallfahrtskapelle Girsterklaus bei Rosport
Chapel of the hermitage at Girst near Rosport

Le château de style Renaissance à Wiltz
Das Renaissanceschloß in Wiltz
Renaissance Castle at Wiltz

Barrage sur l'Our près de Vianden
Ourtalsperre bei Vianden
The dam near Vianden

Vaste demeure féodale, le château des comtes de Vianden était encore intact en 1820
Das herrliche Viandener Schloß war bis 1820 unversehrt geblieben
Vianden Castle, home of the Counts of Vianden, was still intact in 1820

Les forêts environnant Beaufort
Waldreiche Landschaft bei Befort
Wooded landscape near Beaufort

Le château de Beaufort
Schloß Befort
Beaufort Castle

Brandenbourg

Brandenbourg

Esch-sur-Sûre
Esch/Sauer

Lultzhausen

Hauts fourneaux et aciéries du bassin minier
Eisenhütten und Stahlwerke im Erzbecken
Blast furnaces and steelworks in the mining district

Au centre du pays, dans le complexe des industries agro-alimentaires de la Centrale Paysanne,
les silos à grains de l'Agrocenter à Mersch

In Mersch, im Zentrum des Landes, steht das Agrocenter der „Centrale Paysanne",
ein Komplex von Agrarprodukte-Verarbeitungsindustrien

The Agrocenter, important complex of agro-food-industries of the "Centrale Paysanne" is
located at Mersch, in the centre of the country

Paysage ardennais. Les ruisseaux des Ardennes ne sont guère touchés par la pollution
Öslinger Landschaft. Noch ist die Wasserverschmutzung unerheblich
Ardennes landscape. The rivers are scarcely affected by pollution

Mondorf-les-Bains: La source et les floralies
Bad Mondorf: Trinkhalle und Tulpenschau
Mondorf-les-Bains: the pump-room and flower gardens

Ahn

La Cour de Remich
Hof Remich
Surroundings of Remich

Remich, chef-lieu cantonal et décanal
Kantonal- und Dekanatshauptort Remich
Remich, a little town on the Moselle

Le pont de la Moselle à Remich
Die Moselbrücke in Remich
Bridge over the Moselle at Remich

La chapelle Sainte-Croix à Grevenmacher
Die Kreuzkapelle in Grevenmacher
The Holy Cross Chapel at Grevenmacher

Vieux pressoir à Schwebsange
Alter Kelter in Schwebsingen
Old wine-press at Schwebsange

Le «Denzelt», hôtel de ville d'Echternach
Echternach: der „Denzelt"
The historic Town Hall of Echternach

La statue de Saint Willibrord
Die Statue des Heiligen Willibrordus
Statue of St. Willibrordus

Echternach, souvenir d'une abbaye prestigieuse, décor extraordinaire pour les touristes
Echternach, im Glanz seiner historischen Abtei, malerische Kulisse für neuzeitliche Feriengäste
Echternach, with its ancient abbey, is now a popular tourist resort

Mardi de Pentecôte à Echternach: la célèbre procession dansante

Pfingstdienstag in Echternach: die Springer reihen sich zur berühmten Prozession zu Ehren des hl. Willibrord ein

Whit Tuesday at Echternach: the famous Dancing procession

LUXEMBOURG, ville aimable et jeune.... Et pourtant, historiquement, c'est une personne respectable dont la naissance remonte à ce jour de l'an 963 où Sigefroi, comte de Mosellane, acquit la propriété d'un petit fortin délabré situé sur le rocher du Bock. Simple échange de biens comme il s'en pratiquait beaucoup à l'époque; pourtant l'acte lui-même s'entoure d'une certaine solennité: il est signé le dimanche des Rameaux, énumère des témoins illustres et se réfère à la volonté du vicaire de l'Empire.

Telle est, autant qu'on peut le conjecturer d'après les textes, l'origine de la future cité. Non point romaine comme ses voisines Trèves, Arlon ou Metz ni même franque, elle naît, plus modeste, à un moment où la société s'immobilise dans le cadre féodal. Sigefroi lui-même se rattache à un de ces lignages de seigneurs riches et puissants qui s'élèvent par leurs fonctions au-dessus des aristocraties locales.

Le «castrum» primitif n'a rien encore d'un organisme urbain; mais les comtes, entourés de leurs gens d'armes, s'assurent à cet endroit un point d'appui d'où ils partent en expéditions. On leur a fait une réputation probablement méritée de pilleurs; tous les moyens sont mis en oeuvre pour pousser jusqu'à la Meuse et à la Moselle, ces deux grandes voies de pénétration économique. Le renouveau commercial, au cours du XIe siècle, fait affluer autour du noyau préurbain une population nouvelle. L'agglomération marchande s'établit aux abords du «castrum»; elle en est donc un faubourg, isolé du plat pays par la construction d'enceintes. Ce que fut la petite cité pendant les premiers siècles, il est malaisé de le savoir exactement, faute de documents. Le centre en est un étroit marché dans un lacis de ruelles et de passages; il restera mêlé aux grands événements de notre histoire. La ville finit à l'actuelle place Guillaume; au delà on ne voit que terrains vagues et quelques cultures. Quoique minable et fruste, elle a déjà une physionomie particulière. Une société bigarrée d'hommes libres, de serfs, de marchands et d'artisans s'y presse; tous sont soumis au sens seigneurial qui grève le sol. De ces groupes émerge peu à peu une minorité de grands, les bourgeois, qui se transformera en un corps distinct et poursuivra son émancipation personnelle, foncière et juridique. En leur accordant la constitution de 1244, célèbre par sa longévité, Ermesinde devient le second fondateur de la ville.

Sous le règne de cette princesse Luxembourg eut une existence calme et prospère. Les moines, défricheurs d'âmes et aussi de terre, entreprennent de faire régner l'ordre chrétien dans le domaine des comtes. La ville se couvre de chapelles, d'écoles et d'églises dues aux libéralités seigneuriales ou bourgeoises. Les clochers pointent de partout, accents suprêmes d'une spiritualité que va durement ébranler le temporel rude et impitoyable. Car cette ville cuirassée de remparts sera douloureusement agitée par le tumulte des armes; à partir du XVe siècle la guerre sera son lot, avec son cortège de sang, d'héroïsme, de misère et de destructions. Les comtes et ducs finissent par émigrer et à la fin se laissent déposséder. De batailles en traités, de mariages en successions la ville devient l'enjeu des Bourguignons, des Espagnols, des Autrichiens, sans pour autant devenir espagnole ou autrichienne. Elle en prit, bien au contraire, un caractère et une individualité propres. Plusieurs fois le roi de France crut la tenir. Située sur la route militaire qu'empruntent les Espagnols arrivant du Milanais et se dirigeant vers la Flandre, elle subit des assauts répétés. Alors la ville, pleine de rumeurs et de fumée, retentit du fracas des armes, du piaffement des chevaux, du pas pesant des milices. Elle-même envoie au loin ou abrite dans ses murs de grands capitaines, Jean Beck, Aldringen, le comte de Mansfeld qui joignent le renom de leurs exploits au prestige que Vauban et les ingénieurs espagnols et autrichiens redonnent à la forteresse. Juchée sur la roche, hérissée de tours et de toits pointus, ceinturée de murs, de bastions, de courtines, elle a un air de violence et de fierté, tel qu'il apparaît dans les gravures coloriées de ces siècles. Les ruelles raboteuses et montantes s'entrecroisent dans la vieille ville; elles subsistent en partie avec leur gros pans de mur décrépits et vétustes auxquels se rattachent de sombres histoires de bagarres, de galanterie et de duels. Mais la ville s'agrandit, se transforme. De nouvelles rues sont percées où s'élèvent hôtels aristocratiques et refuges avec leurs façades sévères, leurs frontons blasonnés et leurs combles démesurés; de grands jardins, vergers, potagers y attenant autorisent les propriétaires à se dire vraiment «ruris et urbis incolae», habitants de la ville et de la campagne. Le Refuge de Saint-Maximin reste un chef- d'oeuvre de majestueuse ordonnance. Tout près le Collège des Jésuites qui attire des foules d'élèves venus des provinces voisines, et leur église où se concentrent, dans ces temps de malheur, tant de prières et de souffrances devant l'image de la Vierge. Quelques rares édifices tendent à briser l'austérité des formes qui est de mise dans une forteresse. Du château de Mansfeld que dire, hélas! sinon qu'il était et qu'il n'est plus. Le siège des Etats et du Gouvernement (l'actuel Palais Grand-Ducal), somptueuse parure de pierre, est le plus noble témoin de cette époque.

Parfois la ville offre des spectacles extraordinaires, quand de grands personnages sont amenés sous escorte militaire ou de pauvres diables conduits à la potence ou encore quand les hommes du guet jettent leurs filets sur une bande de malandrins. A ces occasions-là les rues sont trop étroites pour contenir la foule qui s'y presse. Sur les mêmes pavés roulent un jour de fête les carrosses de Louis XIV, restaurateur de l'ordre public, et de Madame de Maintenon qui répand sur le pays «l'ombre douce et la paix de ses coiffes de lin». L'entrée des troupes républicaines met fin aux anciennes institutions. Evénement d'une portée immense qui agite peu les citadins opposant toujours le même esprit gouailleur aux intrus. Point de muscadins, excepté quelques «patriotes», point de dames drapées à l'antique. Les hommages officiels à la Vertu et à la Liberté attirent des badauds peu convaincus. L'Empire, en rétablissant une saine administration, commence à rallier les esprits. Les notables se mettent au service de Napoléon, comme ils serviront son successeur, le roi de Hollande.

La nouvelle union politique et l'entrecours économique ne font guère changer l'existence intime et domestique de nos ancêtres. Luxembourg reste en première ligne ville-forteresse. Le curieux statut politique et militaire dont elle est dotée à partir de 1815, invite d'ailleurs à la méfiance. Tandis que les soldats de la garnison, Prussiens de Posnanie et de Silésie, se bousculent dans les faubourgs, les bourgeois administrateurs, raides, collet monté, l'air ennuyé, mettent entre eux et la cohue des étrangers la barrière de leurs maisons bien entretenues, sans luxe superflu, mais d'un goût accompli; de passage à Luxembourg, en 1842, Michelet note l'ordonnance classique de leurs jardins. Etant de race robuste, ils attachent de l'importance à la table, à un savoureux mélange d'élégance culi-

naire et de rusticité primitive qui s'est conservé dans la cuisine luxembourgeoise.

En dépit de son appareil militaire que la Diète de Francfort s'applique patiemment à maintenir, la place offre alors l'image reposante de la paix. Plus d'appel aux armes, plus de tocsin. La forteresse semble adopter le train monotone des citadins. Heureuses années où les moeurs bourgeoises et l'ennui même avaient de la grandeur! De temps en temps quelques éphémères accès de fièvre; en 1830, quand la révolution s'installe aux portes de la ville, en 1848 quand les «compagnons» refluent de Paris et que des échauffourées se produisent aux coins des rues, puis en 1867 quand part la garnison. Grande date qui fera disparaître les ouvrages de fortification et permet l'entreprise d'importants travaux d'édilité. De mornes bâtisses font place à des sites plaisants. Des quartiers neufs sortent de terre et feront bientôt corps avec la ville. Aujourd'hui la ville a déposé sa ceinture de pierre. Longtemps guerrière et forte, elle s'est faite accueillante. Pour prestigieux que soient les reflets du passé ils ne font oublier les attraits de la ville neuve propice aux flâneries capricieuses. L'attrait qu'elle a exercé jadis sur les imaginations d'écrivains, d'artistes, d'historiographes se trouve de nos jours dans l'habitude que prennent ses visiteurs de revenir au pays.

Inutile de conseiller des itinéraires. Aller au hasard, c'est encore goûter le mieux les révélations qui se produisent à chaque pas. Pour les uns ce sera l'agitation des grandes artères commerçantes bordées de magasins de luxe, pour les autres ce seront les refuges de silence offerts par le parc public et les jardins de la Pétrusse toute en pentes vives, où l'on côtoie la campagne en pleine ville. D'autres encore, les amoureux du passé, descendront vers la vieille cité qui se prolonge dans les faubourgs; là où l'Alzette musarde le long des roches ridées, griffées par le lierre, se conserve encore un peu de l'âme ancienne de la ville. Depuis 963 l'histoire a marché à pas de géants, et Luxembourg s'est transformé de bout en bout. Le rythme de la vie a grandi. Mais tout en remplissant le rôle de grande capitale qui lui est dévolu, la ville a sauvé sa personnalité qui l'empêche d'être une fourmilière anonyme.

Joseph Goedert

NOCH immer jung und lebensfrisch hebt die Stadt ihr Antlitz in den Zeitenwind. Zehn Jahrhunderte sind an ihr vorübergerauscht, dreißig Geschlechter sah sie wachsen und ins Grab sinken. Aber sie lebt und will leben. Ihre Geburtsstunde schlug an jenem Palmsonntag des Jahres 963, als Siegfried, ein Graf des Mosellandes, in Anwesenheit illustrer Zeugen und in feierlichem Rahmen unter Berufung auf den Willen des Reichsvikars den Tauschakt unterzeichnete, der ihm den Besitz eines zerfallenen Kastells auf dem Bockfelsen sicherte. Während ihre Nachbarinnen Trier, Metz und Arlon mit ihrem römischen Ursprung sich brüsten können, tritt sie, viel bescheidener, in einer viel späteren Zeit ins Licht der Geschichte, damals, als die west-europäischen Völker sich in die Lebensform des Feudalsystems einzuordnen begannen. Siegfried selbst gehört einem jener Geschlechter von reichen und mächtigen Herren an, die durch ihre staatlichen Funktionen sich über den ortsangesessenen Stammesadel erheben.

Das ursprüngliche „Castrum" ist noch nicht städtisch organisiert. Aber die Grafen schaffen sich hier einen Stützpunkt, von dem aus sie mit ihren Mannen ihre Expeditionen unternehmen. Man fürchtet und haßt sie als Raubgesellen, wahrscheinlich mit Recht; alle Mittel sind ihnen recht, um die Grenzen ihres Territoriums vorzutragen bis an die Maas und die Mosel, die zwei großen Schlagadern des Wirtschaftslebens in diesen Landen. Der Aufschwung des Handels im 11. Jahrhundert führt dem Kern und Kristallisationspunkt der zukünftigen Stadt einen Strom neuer Bewohner zu. Eine Niederlassung von Handelsleuten entsteht als Vorort in der Nähe des „Castrums", vom flachen Lande getrennt durch schützende Ummauerung. Wie die kleine Stadt in den ersten Jahrhunderten aussah, ist schwer zu sagen, da Dokumente fehlen. Den Mittelpunkt bildet ein enger Marktplatz, eingeflochten in ein Netz von Gäßchen und Durchgängen; alle großen Ereignisse unserer Geschichte hat er miterlebt. Die Stadt reichte damals bis zum heutigen Wilhelmsplatz, jenseits der Umfassungsmauer dehnte sich dort weites Ödland mit einigen Äckern und Wiesen. Bei aller Dürftigkeit und Beengtheit hat aber die Stadt schon eine eigene Physiognomie. Ein buntes Gemisch von Freien und Hörigen, von Händlern und Handwerkern drängt sich in ihren Mauern; alle müssen sie dem Grundherrn zinsen, dem der

Boden gehört. Nach und nach entwächst diesen Gruppen eine führende Minderheit, das Bürgertum, das sich allmählich zu einer besonderen Körperschaft entwickelt und alles dransetzt, seine persönliche und seine boden- und kommunalrechtliche Befreiung zu erlangen. Durch die Verleihung der Stadtrechte im Jahre 1244, die Jahrhunderte in Kraft blieben, wurde Ermesinde die zweite Gründerin der Stadt.

Die Regierung der Gräfin Ermesinde war für Luxemburg eine Zeit der Ruhe und des Wohlstandes. Mönche setzten sich ans Werk, den Boden und die Seelen zu reuten, um die christliche Ordnung in der Grafschaft zur Geltung zu bringen. Kapellen, Schulen und Kirchen entstanden dank der Freigebigkeit der Herrschergeschlechter und der Bürger. Türme wachsen in den Himmel, höchster Ausdruck einer Geistigkeit, die der harte und erbarmungslose Sinn der Weltlichkeit dieser Zeit tief erschüttern wird. Denn diese mit Wällen bewehrte Stadt wird immer vom Waffentumult durchdröhnt werden; vom 15. Jahrhundert an ist der Krieg ihr Los und alles, was er mit sich bringt: Blut Heldentum, Elend und Zerstörung.

Die Grafen und Herzöge verlassen schließlich ihr Land und verlieren es. Durch Kriege und Verträge, durch Heiraten und Erbschaften fällt die Stadt an Burgund, an Spanien, an Österreich, aber spanisch oder österreichisch wird sie nicht. Im Gegenteil, sie gewinnt dadurch einen noch ausgeprägteren eigenen Charakter und eine besondere Individualität. Mehrmals glaubt der König von Frankreich, sie in fester Hand zu haben. An der großen Militärstraße gelegen, auf der die Spanier von Mailand nach Flandern zogen, erleidet sie wiederholte Anstürme. Dann füllen Gedröhn und Rauch die Gassen, dann hallen sie wider von Waffengeklirr, Pferdewiehern und schwerem Söldnerschritt. Sie selbst schickt große Heerführer in die Welt oder beherbergt sie in ihren Mauern. Johann Beck, Aldringen, Graf von Mansfeld, deren Waffenruhm das militärische Prestige noch erhöht, das Vauban und die spanischen und österreichischen Ingenieure der Festung verleihen.

Hoch aufragend auf ihrem felsigen Grund, mit Türmen und spitzen Dächern wie mit Stacheln bewehrt, umringt von Mauern, Bastionen und Kurtinen, scheint sie Gewaltsamkeit und Hochmut zur Schau zu tragen, wenn man sie auf den kolorierten Stichen dieser Jahrhunderte sieht. Die steilen Holpergäßchen kreuzen sich in der Altstadt; sie bestehen zum Teil heute noch mit ihrem dicken, zerbröckelnden, altersschwachen Mauerwerk, an das sich da und dort düstere Geschichten von Raufereien, galanten Abenteuern und Duellen knüpfen. Aber die Stadt vergrößert und verändert sich. Neue Straßenzüge dringen vor, herrschaftliche Wohnsitze und Refugien reihen sich aneinander mit ihren strengen Fassaden, ihren wappengeschmückten Tür- und Fenstergiebeln und ihren weit vorragenden Dachgesimsen; große Obst- und Gemüsegärten, die zu den Häusern gehören, berechtigen die Besitzer zu der Behauptung, sie seien sowohl Stadt- wie Landbewohner. Das Refugium von St.-Maximin ist ein Meisterwerk imposanter Baugestaltung. Nahe dabei steht das Jesuitenkolleg, zu dem die Studenten aus den Nachbarprovinzen in Scharen strömen, und die Jesuitenkirche, wo in den Zeiten der Drangsal das Volk sich um das Gnadenbild der Trösterin der Betrübten drängt und ihr seine Leiden und seine Gebete ans Herz legt. Einige seltene Gebäude suchen die düstere Formenstrenge zu durchbrechen, die in einer Festung gang und gäbe ist. Vom Schloß Mansfeld kann man leider nur sagen, daß es einst da war und heute nicht mehr da ist. Der Sitz der Ständeversammlung und der Regierung, das heutige großherzogliche Palais, ein Bau mit prunkvoller Steinverzierung, ist der edelste Zeuge dieser Epoche. Manchmal bietet die Stadt außergewöhnliche Schauspiele, wenn hohe Persönlichkeiten unter militärischer Eskorte eintreffen oder arme Teufel zum Galgen geführt werden oder auch, wenn die Scharwache ihre Netze über eine Bande Raubgesellen geworfen hat. Bei solchen Gelegenheiten sind die Gassen zu eng, um die sich drängende Menge zu fassen. Auf demselben Pflaster rollen an einem festlichen Tage die Karossen Ludwigs XIV., des Wiederherstellers der öffentlichen Ordnung, und Madame de Maintenons, die über das Land „den sanften Schatten und den Frieden ihrer Linnenhauben ausbreitet."

Der Einzug der Truppen der Republik macht den alten Einrichtungen ein Ende. Das hochbedeutsame Ereignis regt die Stadtbewohner kaum auf, sie sind es gewohnt, sich immer wieder der Eindringlinge seelisch zu erwehren, indem sie sich über sie lustig machen. So gibt es hier auch, abgesehen von einigen „Patrioten", keine „Stutzer", keine in antike Gewänder drapierten Damen. Die offiziellen Huldigungen an die Göttinnen der Tu-

gend und der Freiheit locken nur wenige Gaffer von zweifelhafter Gesinnung an. Das Kaiserreich, das wieder eine gesunde Verwaltung herstellt, beginnt, die Geister auf seine Seite zu ziehen. Die Notabeln treten in den Dienst Napoleons, wie sie später seinem Nachfolger, dem König von Holland, dienen werden.

Weder die neue politische Union noch der neue Kurs des Wirtschaftsverkehrs ändern etwas an dem persönlichen und häuslichen Lebensstil unserer Vorfahren. Luxemburg bleibt vorwiegend Festungsstadt. Ihr sonderbares politisches und militärisches Statut seit 1815 läßt übrigens das Mißtrauen wach werden. Während die Soldaten der Garnison, Preußen aus Posen und Schlesien, sich in den Vorstädten herumbalgen, gehen die bürgerlichen Verwaltungsbeamten steif und gelangweilt mit hochgeschlagenem Rockkragen durch das Gedränge der Fremdlinge und halten sie fern von ihren geschmackvoll, aber ohne überflüssigen Luxus eingerichteten Häusern; Michelet, der um 1842 in Luxemburg durchreist, hebt die klassizistische Anlage ihrer Gärten hervor. Von robuster Rasse, wissen sie eine gute Tafel zu schätzen, eine saftige Mischung von kulinarischer Feinheit und deftiger Bauernkost, wie sie sich bis heute in der luxemburgischen Küche erhalten hat.

Trotz des militärischen Apparates, den der Frankfurter Bundestag in unablässigem Bemühen beizubehalten sucht, bietet die Festungsstadt in dieser Zeit ein beruhigendes, friedliches Bild. Kein Alarm mehr, kein Sturmläuten. Die Festung paßt sich dem eintönigen Gang des bürgerlichen Alltagslebens an. Glückliche Jahre, wo die bürgerliche Lebensart und sogar die Langeweile einen Zug von Größe hatten. Dann und wann nur einige schnell verflackernde Fieberanfälle: 1830, als die Revolution das Land bis zu den Toren der Stadt in ihren Bann schlägt, 1848, als die Handwerksburschen in Scharen von Paris heimkehren und einige Krawalle an den Straßenecken aufbrodeln, dann 1867 beim Abmarsch der Garnison. Ein großer Tag für die Stadt, der die Schleifung der Festungswerke einleitet und die Inangriffnahme bedeutender stadtbaulicher Werke erlaubt. Düstere Bauwerke fallen und machen freundlichen Anlagen Platz. Neue Viertel wachsen aus dem Boden und finden bald Anschluß an die Stadt. Heute hat die Stadt den Steinring abgeworfen, der sie umschloß. Sie hat alles Kriegerische abgestreift und ist zur freundlich entgegenkommenden Dame geworden. So wundervoll auch der Widerschein der Vergangenheit auf ihren Zügen leuchtet, er verdeckt nicht den Liebreiz der neuen Stadt. Sie lockt zu unbeschwertem Flanieren. Und wie sie ehemals schon die Phantasie von Schriftstellern, Künstlern und Geschichtsschreibern mächtig anregte, so hat sie auch heute von ihrer Anziehungskraft noch nichts eingebüßt, denn ihre Besucher kehren immer wieder zurück.

Besichtigungspläne sind nicht vonnöten. So vor sich hinschlendern und sich den Überraschungen des Zufalls zu überlassen, ist noch der beste Weg, um der Sehenswürdigkeiten inne zu werden, die sich auf Schritt und Tritt bieten. Für den einen wird es das bewegte Treiben der großen Geschäftsstrassen mit ihren luxuriösen Läden sein, für den andern die Inseln des Schweigens im Stadtpark und in den abhängigen Grünanlagen des Petrußtales, wo das Land bis mitten in die Stadt hineinreicht. Wieder andere, die Liebhaber der Vergangenheit, werden in die Altstadt hinabgehen, die sich bis in die Vororte verlängert; dort, wo die Alzette längs den zerrissenen, efeuumkrallten Felsen geruhsam dahinplätschert, hat sich noch etwas von der Seele der alten Stadt in die neue Zeit herübergerettet. Seit 963 ist die Geschichte mit Riesenschritten weitergerückt, und die Stadt hat sich von Grund auf umgewandelt. Der Puls des Lebens schlägt rascher in ihr. Aber wenn sie auch die ihr zugefallene Rolle der Landeshauptstadt mit aller Hingabe spielt, so hat sie doch ihre Persönlichkeit gerettet, die sie davor bewahrt, ein anonymer Ameisenhaufen zu werden.

Nicolas Hein

LUXEMBOURG, pleasant and young city. And yet, historically, a respectable person whose birth goes back to that day in 963 when Sigefroid, count of Mosellania, became the owner of a small tumble-down fort perched on the Bock crag. He had made an exchange of land customary at the period; in this case, however, enacted more solemnly than usual: it was signed on Palm Sunday, named illustrious witnesses and referred to the will of the Vicar of the Empire.

Such is, according to the texts, the origin of the city. Not Roman, as its neighbours Trier, Arlon or Metz, not even Frankish; it is born, more modest, at a moment when society takes on the rigid forms of the feudal system. Sigefroid himself originates from one of those lineages of wealthy and powerful lords who, by their functions, rise above the local aristocracies.

The primitive "castrum" has nothing in common yet with a town; the counts, surrounded by men-at-arms, there occupy a point d'appui from which they go on their expeditions. They have earned for themselves a reputation of plunderers; by all means they make their way to the Meuse and the Moselle, the essential lines of communication. The commercial life of the 11th century draws a new population to the preurban nucleus. Traders settle around the "castrum", in a suburb separated by walls from the flat country. It is difficult to know exactly what the little town was like in the first centuries. Its centre is a narrow market in a network of lanes and passages; it will witness the great events of our history. The town ends at the present Place Guillaume; beyond, there are waste grounds and some cultures. Although rather poor and rough, it already has an appearance of its own. A motley society of free men, serfs, traders and artisans jostle in the lanes; they are all submitted to seignorial taxes. From these groups emerges a minority of great ones, the burghers; they will develop into a distinct body and will be busily working for their personal and judicial emancipation. By granting them the constitution of 1244, famous for its longevity, Ermesinde becomes second founder of the town.

The reign of this princess means a period of peacefulness and prosperity for Luxembourg. The monks, converting souls and reclaiming land for cultivation, endeavour to establish a Christian order in the count's territory. Chapels, churches and schools rise through the generosity of lords or burghers. Steeples point towards the sky, symbols of a spirituality which is going to be unsettled by the rude and pitiless temporal powers. Indeed, the tumult of arms will painfully trouble this wall-girt town; from the 15th century onwards war will be its lot, with blood, heroism, misery and destruction.

The counts and dukes finish by emigration and by being ousted. Through battles and treaties, marriages and successions, the town becomes the stake of Burgundians, Spaniards, Austrians, without turning Spanish or Austrian. On the contrary, it develops a character and individuality of its own. On several occasions the King of France thinks he holds it. Lying on the military route taken by the Spaniards on their way from Milan to Flanders it undergoes repeated assaults. Then the town, filled with rumours and smoke, sounds with the clanging of arms, the prancing of horses, the heavy step of the militia. Luxembourg sends abroad or sees within its walls great generals, such as Jean Beck, Aldringen, Count Mansfeld who join the fame of their feats to the prestige that Vauban as well as the Spanish and Austrian engineers restore to the fortress.

Perched on the rock, bristling with towers and pointed roofs, girt with walls, bastions, curtains, it offers an aspect of violence and pride, as also appears in the coloured engravings of the time. Bumpy uphill lanes intertwine in the old town; they are partly still extant in tumble-down pieces of walls connected with gloomy stories of fights, gallantry and duels. But the town expands and changes. New streets are laid out in which aristocratic mansions and houses of refuge rise with stern façades, blazoned frontons and oversize roofs; large orchards and kitchen-gardens, adjoining them, allow the owners to call themselves rightly "ruris et urbis incolae", inhabitants of country and town. The house of refuge of St. Maximin is still a masterwork of majestic arrangement. Near it stand the Jesuit college, attracting many pupils from the neighbouring provinces, and the church of the Jesuits where, in those unhappy times, prayers and sufferings concentrate before the statue of the Blessed Virgin. Some few buildings try to break the austerity dominating in fortress-towns. The castle of Mansfeld unfortunately no longer exists. The seat of the States and the Government, now the Grand-Ducal Palace, sumptuous stone ornament, is the noblest witness of the epoch.

The town offers extraordinary spectacles when great persons arrive, escorted by a guard of honour, or when miserable fellows are taken to the gallows or the watchmen catch a gang of robbers. On such occasions the streets are too narrow for the crowd. A festive day sees the coaches of Louis XIV, the restorer of public order, and of Madame de Maintenon spreading "the soft shadow and the peace of her linen cap."

The arrival of the French revolutionary troops puts an end to the old institutions. Although an event of outstanding importance, it does not unbalance the citizens who oppose their old waggish spirit to the intruders. Neither fops come out, nor ladies draped in the antique fashion. Official homages to Virtue and Liberty attract only unconvinced lookers-on. The French Empire, re-establishing a sound administration, wins people over. Persons of influence serve Napoleon, as they will serve his successor, the King of Holland.

The new political union and economical relations do not change the intimate and domestic existence of our ancestors. Luxembourg remains a fortress town above all. Its curious political and military situation from 1815 onwards awakens distrust. While the soldiers of the garrison, Prussians from Poznania and Silesia, jostle in the suburbs, the stiff-necked citizens keep them out of their houses from which good taste has banished superfluous luxury; Michelet, passing through Luxembourg in 1842, notes the classical arrangement of gardens. The Luxembourgers, robust people, like good cheer: a savoury mixture of culinary elegance and primitive rusticity still survives in the local cuisine. In spite of the military display, which the Diet of Frankfort patiently maintains, the town offers the restful image of peace. No more call to arms, no alarm-bell. The fortress seems to adopt the citizens' monotonous way of life. Happy years when burghers' customs and boredom had some greatness! From time to time an ephemeral fever breaks out: in 1830, when the revolution reaches the gates of the town; in 1848, when the "journeymen" come back from Paris and clashes take place at street corners; in 1867, when the garrison leaves. An important date which means the dismantling of the fortress and the beginning of a new building era. Bleak constructions make room for pleasant sites. New quarters spring up and will soon be incorporated with the town.

Today, Luxembourg no longer wears its stone belt. After having long been warlike and strong it has become gracious. The vestiges of the past, however marvellous, cannot make the visitor forget the charm of the new town inviting him to wayward strolls. The attraction it exercised on the imaginations of writers, artists, historiographers in the days of old, still appears in the modern visitor's habit of returning to Luxembourg.

There is no need for recommending itineraries. Walking at random offers surprises and revelations. Some people will like the life of business streets bordered with fashionable shops; others, the islands of silence in the public parks and the gardens of the Pétrusse where town and country meet. The lovers of the past will go down into the old town and from there into the suburbs where the Alzette quietly flows past rugged, ivycovered rocks and the old soul of the town survives.

Since 963 history has advanced with giant strides, and Luxembourg has changed completely.The rhythm of life has accelerated. But, while playing the part of a great capital, the city has managed to preserve its personality which prevents it from becoming an anonymous ant-hill.

Imprimé par Imprimerie Saint-Paul, Société anonyme, Luxembourg

AUTRES OUVRAGES PARUS
AUX ÉDITIONS KUTTER
Luxembourg - 17, rue des Bains - Tél. 2 35 71

ÉDITIONS DE LIVRES PHOTOGRAPHIQUES

LE GRAND-DUCHÉ DE LUXEMBOURG EN COULEURS.

96 photos en couleurs grand format et en pleine page par Edouard Kutter — 132 pages — Textes français, allemands, anglais. Édition reliée pleine toile sous jaquette couleurs.

PORTRAIT-GALERIE.

543 portraits et notes biographiques par Charles Arendt. Édition 1972.

ÉDITIONS LIMITÉES ET NUMÉROTÉES

PROMENADE PITTORESQUE AU GRAND-DUCHÉ.

36 Aquarelles en couleurs par Sosthène Weis 1872-1941. Textes français, allemands, anglais. Édition 1970.

CASSETTE DE 2 VOLUMES:

a) DESSINS PITTORESQUES DE LUXEMBOURG.

25 dessins en couleurs de la forteresse par Michel Engels 1851-1901. — Textes français, allemands, anglais. Édition 1968.

b) PROMENADE PITTORESQUE AU GRAND-DUCHÉ.

36 Aquarelles en couleurs par Sosthène Weis 1872-1941. Textes français, allemands, anglais. Édition 1970.

LE LUXEMBOURG PITTORESQUE.

28 planches en couleurs et 43 esquisses à la plume par Michel Engels. — Textes français, allemands. Réédition en fac-similé et numérotée 1973. Première édition 1901. 142 pages. Ouvrage très luxueux.

CASSETTE MICHEL ENGELS.

31 dessins grand format par Michel Engels. „La Procession de l'Octave de Notre-Dame". Réédition luxueuse, numérotée, limitée à 999 ex. L'ouvrage a paru pour la première fois en 1893.

PORTFOLIO JEAN-BAPTISTE FRESEZ.

4 planches en couleurs grand format 40 cm × 55 cm par J.-B. Fresez 1800-1867. Textes français, allemands, anglais. Édition en fac-similé 1972. Portfolio Skivertex bleu foncé.

LUXEMBOURG — à travers la cartographie ancienne.

4 cartes anciennes en couleurs. Grand format 48 cm × 62 cm. Évocation historique en trois langues. Présentation en rouleau luxueux ou en portfolio pleine toile.